全国老年学基金会科欧诺文学奖
蒙特勒伊小学生文学奖
儿童村运动文学奖

人的一生会有上千次的机会，有时候甚至是几百万次的机会，所以你不要灰心。

少年励志小说馆

Youth Inspirational Fiction Section

我的知心奶奶

[法国]乔·贺斯兰特◎著

[法国]奥雷莉·阿波利维埃◎绘

蔡莲莉◎译

长江出版传媒 ｜ 湖北少年儿童出版社

图书在版编目(CIP)数据

我的知心奶奶/(法)贺斯兰特著;蔡莲莉译.—武汉:湖北少年儿童出版社,2013.10
(少年励志小说馆)
ISBN 978-7-5353-9666-2

Ⅰ.①我… Ⅱ.①贺… ②蔡… Ⅲ.①儿童文学—中篇小说—法国—现代 Ⅳ.① I565.84

中国版本图书馆 CIP 数据核字(2013)第 252843 号
著作权合同登记号:图字 17-2013-078

MÉMÉ, T'AS DU COURRIER!

By Jo Hoestlandt

Illustrated by d'Aurelie Abolivier

© Éditions Nathan(Paris, France), 1999 pour la première édition

© Éditions Nathan(Paris, France), 2013 pour la présente édition

Simplified Chinese copyright © 2013 Dolphin Media Co., Ltd.

本书中文简体字版权经法国 Nathan 出版社授予海豚传媒股份有限公司,
由湖北少年儿童出版社独家出版发行。

版权所有,侵权必究。

少年励志小说馆 Youth Inspirational Fiction Section　我的知心奶奶

[法国]乔·贺斯兰特/著　　[法国]奥雷莉·阿波利维埃/绘　蔡莲莉/译
责任编辑/罗 萍 叶 朋 左 炜
美术编辑/沈 霞　装帧设计/钮 灵
封面绘画/小枕头
出版发行/湖北少年儿童出版社
经销/全国新华书店
印刷/恒美印务(广州)有限公司
开本/889×1194　1/32　3.75 印张
版次/2015年1月第1版第2次印刷
书号/ISBN 978-7-5353-9666-2
定价/13.80 元

策划/海豚传媒股份有限公司(15060927)
网址/www.dolphinmedia.cn　邮箱/dolphinmedia@vip.163.com
咨询热线/027-87398305　销售热线/027-87396822
海豚传媒常年法律顾问/湖北豪邦律师事务所 王斌 027-65668649

成长的那些事儿

年少时，心里曾藏着多少成长的小秘密啊！那是怀梦的日子，也许曾梦想改变世界，却仍会在小挫折面前不知所措，不知道该如何突破自己；或曾想要环游各大洲，却只能在自己小小的世界里黯然伤神，不知道该如何找到最真实的自我；曾几何心怀大志，渴望叱咤风云，却总是感觉没有一个人能真正理解自己，不知道怎样做才能得到认可……那些成长的事儿，有时候连亲爱的爸爸妈妈也弄不清该如何参与进来，主角永远只是自己。那是一些只属于自己的故事，快乐过，伤心过，也哭过，也笑过！

"少年励志小说馆"系列是一套关于孩子自己的成长故事，孩子的渴望，孩子的秘密，孩子的困惑，都让人感觉那么真实，那么刻骨铭心。或许你的身边就有这么一个同学，甚至那个小主角可能就是你自己，成长的故事正在悄悄地发生着呢！

《玛蒂的勇气》是一个关于女孩成长秘密的故事,这个女孩名叫玛蒂,说她是"超级胆小鬼"绝对没夸张！为了生活,妈妈和她得经常搬家,她已经换过四所学校了。玛蒂讨厌新学校,她不敢面对新同学。当妈妈带着玛蒂搬到了儿时的故乡时,玛蒂一心只想成为舅舅的维修办学徒,这样既能避免每时每刻都要面对新同学的尴尬,或许又能让新同学对她另眼相看呢！为了获得"维修办学徒"的身份,玛蒂不停地记录着维修知识……这时,爱画画的昆西出现了,玛蒂很害怕,她并不认为昆西能成为自己的朋友。波奈特校长告诉玛蒂:"如果你无所畏惧,就不会变勇敢。"这句话让玛蒂开始思考,她得做点儿勇敢的事情,她要鼓起勇气,让妈妈知道她讨厌搬家,告诉昆西自己的秘密。

　　也许,并不是每个孩子都像玛蒂一样胆小和有着某种恐惧症,但是很多小朋友都可能会像《看不见的美丽》中的小女孩阿德拉伊德一样,讨厌过自己难听的名字,或是觉得自己不够漂亮。阿德拉伊德刚搬到一个新地方,新的学校生活并不如意,同学们给她起了个讨厌的外号——"丑八怪阿德拉伊德"。这个该死的外号,让她觉得自己越来越丑陋。孤独的阿德拉伊德总是爱独自去绿灌木丛林散步,在这里,她认识了盲人男孩路易。阿德拉伊德为自己编造了一个很好听的名字,还告诉路易自己非常漂亮。而在《我有一个"姐姐"》中，小男孩迪欧也撒了个小谎。他曾经是老师的"宠儿"，是学校"雏鹰"小队令人瞩目的小队长。可是到了新学校，没人跟他说话，这让他感觉很孤单。于是，他为自己捏造了一个拍广告的漂亮"姐姐"，以引起同学们的兴趣。在这些故事的最后，阿德拉伊德告诉了路易自己的真名，因为在经历过很多之后，她发现自己能够坦然面对"难听的名字"了；而迪欧的谎言还是被识破了，但最终他用坦诚打动了同学，真正地赢得了同学的真挚友谊。在成长中，孩子们偶尔会去编造一些无伤大雅的小谎，但是正确处理事情的方式也许不太难，只要努力去尝试，运用智慧就能把事情做好。

　　成长中的很多事情，孩子们都要独自去面对，但是有时与智慧的长辈们进行交流，也能让他们得到很多人生的智慧呢。《我的知心奶奶》里的安娜贝尔，就有一位"知心奶奶"，她通过邮件与奶奶交流，告诉了奶奶自己的烦恼。在奶奶的帮助下，安娜贝尔试着学会理解和包容，去解决好她与最好的朋友之间的矛盾。

　　《蓝门里的雅各布》中的雅各布是一个怪小孩，爸爸的去世改变了他，他每天都生活在自闭的世界里，没有伙伴，上学迟到，上课心不在焉，经常幻想些并不存在的东西，一个人自言自语……妈妈和心理医生都尽力去帮助他，可雅各布还是举止非常"怪异",他会跟踪一个吉他手,把吉他手想象成自己的好朋友,因为他的爸爸就非常喜爱音乐。妈妈说服了偶像吉他手,让他去教雅各布学吉他,雅各布从此就开始了新的生活。其实,雅各布只是一个受了伤的小孩,他有点儿"自闭症"的特征,但是只要"对症下药",他也能找回自己的快乐。这样的孩子,更是需要关爱和更多的努力,才能引导他们走出人生的阴霾天。

每个孩子都会有很多很多的缺点,他们很平常,甚至是有点儿像"丑小鸭"。《丑小鸭男孩》的主角内特就是这么个男孩,家里有个优秀的哥哥,使得他感觉自己太差劲、不受爸妈重视。在学校里,他因身材矮小、身上有难闻的气味,而受到同学的排挤。但是,好朋友莉比知道,内特是个非常有表演天赋的小孩。为了证明自己,为了追梦,内特毅然一个人来到纽约,去参加自己最喜爱的戏剧的选角试镜。他的努力和执着,大家都看到了。内特也在"追梦之旅"中,发现爸妈一直都是爱自己的,他也更加认识到自己其实就是"白天鹅"。

这些成长的故事,没有惊天动地的"大事情",只是一些关于孩子的小故事。那些曾经感觉过不去的坎,那些让孩子垂头丧气的原因,那些使孩子不自信的小心事儿……只要去积极面对、合理调节,这些看似不和谐的小音符,与那些欢快的音符组合在一起,就能奏出一首美妙的成长曲。

献给我的太奶奶
献给我的婶婶

1998 年 10 月 17 日

亲爱的太奶奶：

收到这封信的时候很惊讶吧？嘻嘻，我还从来没给您写过信哩。您别担心，没出什么事儿。我就是练练手。爸爸几个月前给我买了台电脑，所以我正练习用键盘打字呢。现在周末的时间都用来练习了。练习还挺有成效的，您看，我这不是给您写信了吗？不过，我现在还没开始写日记呢，更别说用电脑写了。话说我觉得写日记怪怪的，因为都是写自己，总感觉看起来有些神经质。

刚开始写信的时候，我还在琢磨该跟您说点什么呢，因为好像没那么多事儿说。不过现在看来，还好，能写点儿东西出来。

我知道太奶奶您已经 84 岁啦，要您经常回信有点儿难度。所以我也没想那么多，只要您能偶尔给我回回信就好了。而且我也知道，您视力不太好，看东西没那么清楚。对您来说，要读这封信可不容易。但我知道，这封信能让人开心。而这个人就是您，对不对？

　　好吧，就写到这里了。写这么一点儿东西都快让我发疯了。我赶紧去把这封信打印出来，给您寄过去。太奶奶再见。

安娜贝尔

　　PS：太奶奶，希望您不要介意信里的那些错误哦。我这才刚刚开始学习用电脑写信呢。

1998 年 10 月 29 日

亲爱的太奶奶：

　　我又来啦！我给您写的第一封信，您没回我。说实话，我有点生气呢。我多希望您能试着给我回个信，试试就好的。妈妈她总是跟我说，您很想知道您的曾孙们现在都在做什么，过得好不好……我在想，这是不是妈妈自己编的。要不然您为什么不给我回信呢？说不定您收到这封信的时候，一点儿也不开心，相反，倒是很生气。还有哦，说不定您还很讨厌去信箱拿信（"讨厌"这个词儿打得可费劲了）。我之所以这么想，是因为圣诞节我去看您的时候，您的脚肿得厉害。当时我就在想，只要在您那脚周围绑上丝带，看起来就跟包装好的"礼物"没什么两样了。但话又说回来,这样一只肿胀的脚实在不是什么"好礼物"。

看到这里的时候,希望您别生气呢。

下面告诉您我的近况。

先跟您说说天气吧。前段时间天气又热又潮。过了一段时候,还是又热又潮。而现在依然又热又潮。因此我就没法儿跟朋友们一起去城里散步了。我好生气。

好啦,就写到这里了。我要去看电视连续剧了。这部电视剧我可是一集不落地看到了现在。

太奶奶您呢,有喜欢看的电视剧吗?

亲一下。

安娜贝尔

1998 年 11 月 2 日

亲爱的安娜贝尔：

你的两封来信我都收到了。

你在信上问我为什么没有给你回信。是这样的，收到第一封信的时候，我觉得你应该不着急，所以就先把回信这事儿放一边了。没想到你倒挺在乎的呢。太奶奶给你道歉，不好意思呀，宝贝。

在这里呢，我首先要谢谢你爸爸给你买的那台电脑。有了它，我才能知道你的近况。我第一次觉得这种现代机器是有用的。在这之前，我觉得电脑这样的高科技产品都粗俗极了。

但是，毫无疑问，我依然怀念你六七岁时给我写的那些信。那时你写的字歪歪扭扭的，还有不少错误，但在我看来，那些错误都可爱极了。我到现在还留着那些信呢，我特别珍惜这些东西。六七岁之后，你便很少给我写信了。因此我倍加珍惜这些信。记得有一次你写信给我，说谢谢我给你寄了一个洋娃娃。对，你管那个洋娃娃叫"西蒙娜"——我当时也是这么叫它来着。我知道，你这是要逗我开心呢。随着时间的流逝，这个布娃娃也渐渐地变脏，变难看了。我时常想起你当初对我说的那些话："太奶奶，我觉得这只布娃娃越来越像您了……"

尽管这个事实令我有些不快，但我不得不承认，或许你说的是对的。

太奶奶已经老了。所以啊，圣诞节的时候，你只能要求太奶奶给你寄一张支票当礼物了，其他东西我都没法儿送了。

宝贝，太奶奶年纪大了，没办法亲自跑去商店给你和你的两个哥哥买礼物了；而且给你们挑礼物也是件很头疼的事儿。因此太奶奶就直接寄一张支票给你们了，就跟交煤气费和交税似的，多省事儿呀。

倒是你们，从来也不写信告诉我，你们都用我给的支票买了什么东西。我有时候甚至怀疑，你们收到的不是支票，而是一些碎纸屑……

你告诉我说你们那儿天气又热又潮。我们这儿也是的，经常下雨，不过那些树木的颜色看起来棒极了。我很喜欢这类景色，因而会时常站在窗前欣赏美景。

就写到这里吧。太奶奶的邻居马上就来了。每天下午5点钟左右她都会来我家，跟我玩拼字游戏。这样不仅可以打发时间，还能趁机锻炼锻炼大脑的神经。你问我有没有喜欢的电视连续剧，没有的。相对来说，我还是更喜欢拼字游戏。

紧紧拥抱你，我的宝贝。

太奶奶

1998 年 11 月 7 日

亲爱的太奶奶：

收到您的来信真开心。告诉您，我还留着西蒙娜呢。虽然我已经很长时间没有跟它玩了，但它依然放在我的床脚边。（我不知道您记不记得，我现在已经 12 岁啦，洋娃娃不太适合我了呢……）

今天的阳光很明媚，天空很蓝。还有，今天是星期三。键盘练习结束后，我要和朋友们一起去电影院看《泰坦尼克号》。这是一部很棒的灾难电影，我之前已经看过两遍啦。

好啦，就写到这里吧。

太奶奶再见。深情地亲吻您。

安娜贝尔

1998 年 11 月 10 日

亲爱的安娜贝尔：

这么好的天气,你竟然要去电影院！任自己被关在那黑漆漆的放映厅里,没有一点阳光……而且看的还是你说的那种灾难片,真是太可惜了！

说到灾难,我想说,生活中这样的灾难比比皆是,为什么你还要特地去电影院看呢？当然,这只是太奶奶的看法而已。

记得泰坦尼克号失事那会儿,我才 4 岁,因此对整件事几乎都没什么印象。

后来我知道,经历这次事故而侥幸活下来的人并不多。这下倒好,导演把整个故事都搬上大银幕了……他们又得再一次经历这噩梦般的遭遇,在我看来啊，他们肯定不乐意。

宝贝，不管怎样，天气好的时候，你就到外面去走一走，晒晒太阳，呼吸一下新鲜空气。

好了，今天就写到这里。快5点了，我的邻居弗里奇夫人就要过来和我玩拼字游戏了。我不记得自己之前有没有跟你说过这件事儿了。

深深地亲吻你。

太奶奶

1998 年 11 月 20 日

亲爱的太奶奶：

《泰坦尼克号》并不像您说的那样只是一部可怕的灾难片，这是一部很棒的电影。它让人激动甚至热血沸腾。是，没错，它是一部电影，但它更是一段真实存在的历史。在我看来，这是一段至今仍让人颤抖的历史。而且这部电影的男主角实在太帅了！然而这部电影的绝妙之处并不仅限于此。我和我的朋友们都认为《泰坦尼克号》是我们看过的最好看的电影。甚至比我在电视上看到的《乱世佳人》还好。我个人觉得那部电影有些做作，所以并不喜欢那部电影。

对了，您的脚现在怎么样了？是不是还肿得像

"礼物"？

另外，最近我有点烦。

我不记得我有没有跟您说过，我有一个叫露西亚的朋友。又或者说，我曾经有一个叫露西亚的朋友。哎呀，其实她一直都叫露西亚。我想说的是，她已经不再是我的朋友了。我们之间发生了一些非常不愉快的事。

我希望您能重视这件事情。因为大家都不在乎我跟露西亚闹翻了这件事。他们都只在乎自己的事。就说妈妈吧，她只跟我说让我好好学习，说我是一个幸运的孩子，我有自己的卧室；还说什么为了给我腾出一间房间来，她把厨房都重新装修了一遍。而爸爸呢，他只想着他的工作；哥哥们在一起的时候，就只会耍嘴皮子，打架。他们都不关心我。我烦透了他们，烦透了这个家。

就写到这里吧。我有点冷。妈妈有个怪习惯，一天总要开窗通风好几个小时。现在这种天气，开窗通风简直要冻死人。

深深地拥抱您，我尊敬的太奶奶。

安娜贝尔

PS：我说了您别生气，您确实有一点点啰嗦。您已经在信上提到邻居弗里奇夫人两次啦。我知道每天下午5点钟左右她都会来跟您玩拼字游戏。好啦，我是真的知道啦！

1998 年 12 月 2 日

亲爱的安娜贝尔：

　　我亲爱的安娜贝尔，你怎么可以说《乱世佳人》是一部做作的电影！我听你说，你只在电视上看过这部电影，这就对了。因为这样，所以你没能领略这部电影的魅力所在。对我来说，这是一部很棒的电影。克拉克·盖博是我见过的最有魅力的男人。如果电影院放映这部电影的话，我一定会去看的。虽然我的腿脚不灵便，但我想，我还是会拼尽全力去电影院看的。当时，我和我母亲一起去看这部电影。说起来那已经是很久以前的事儿了……我仿佛又看见了我的母亲，她和我一样，双眼闪烁着光芒。一整部电影看下来，我们都哭得稀里哗啦的，我们都非常喜欢这部电影……亲爱的安娜贝尔，我们对于《乱世佳人》的看法虽然不一致，但至少有一点，我们的看法是相同的：当电影讲述的是一段美好的历史时，那着实是十分美妙的。

对了，在上次的来信中，你告诉我说，你跟露西亚不再是朋友了。

怎么回事儿？发生什么事了？是不是误会？你再好好跟我解释一遍。宝贝，我觉得你应该踏出第一步，试着去重拾你们的友情。当我们很喜欢一个人的时候，我们往往要更放得下自尊。

其实曾经我也有过类似的经历。我也失去过一个曾经的好朋友。因为你的信，从前的那一切又变得历历在目。我 70 多岁的时候，每每想起这段经历，都还会觉得心痛。当我们知道自己不被喜欢的时候，我们心里的痛就再也治不好了。

哦！对了，我还要跟你说说我的脚。

好吧，它现在看起来还是很像包装好的"礼物"，不过肿块已经比之前的小了一些……

　　拥抱你,我亲爱的宝贝。

　　最后,我得说,谢天谢地,你还没厌烦你爸爸给你买的电脑——你要是烦了,估计就不会给我写信了。宝贝,你还得替我拥抱一下你的家人。

　　　　　　　　　　　　　　　　太奶奶

　　PS:宝贝,你说得对,太奶奶有时候是挺啰嗦的。太奶奶向你道歉。我要跟你说的是,给你写信,收到你的来信我都很开心。就是每次提笔写信的时候,我就想不起来我之前都写了什么。如果你想看一些不啰嗦的信,那你可以写信给你的阿美莉舅妈。

1998 年 12 月 10 日

亲爱的太奶奶：

要我写信给阿美莉舅妈？算了吧！我可受不了她。我和她压根就没话可说！今天的信会写得简短些，因为我要复习功课，马上就要举行历史测试了。我得去看看欧梅亚王朝的统治者名录。这张名录里我唯一记得阿卜杜·拉赫曼，因为他逃过了一场大屠杀……

为什么我们非得记住被屠杀的人的名字呢？我反正没想明白。再见，我亲爱的太奶奶。

安娜贝尔

1998 年 12 月 15 日

亲爱的安娜贝尔：

我亲爱的安娜贝尔，下雪啦！我坐在靠窗的扶手椅上，兴致勃勃地看着飞舞的雪花。这样美妙的景色总让我赞不绝口！我在想，我应该在窗台上放一些蘸有黄油的面包，给那些可怜的鸟儿吃。像这样寒冷的冬天，食物也不好找，鸟儿们在寒风中飞来飞去真的太累了。对了，你上回给我写的那封"信"——如果我们可以将其称之为信的话，才几行字，真的是太简短了！

你在信上跟我说的什么欧梅亚王朝，还从来没听你提过呢。我突然发现，你们现在学的东西都挺难的，至少比我们以前的难多了。不过有一点我是十分清楚的,就是记住被屠杀者的名字与记住屠杀者的名字同样重要。当然,这只是我的看法,你可以参考一下。

我知道,现在很多年轻人都不把过去的传统放在眼里,尤其是每年的"双十一"纪念日。你知道吧,这一天人们要缅怀在一战中遇难的同胞。

还有,宝贝,每年的 11 月 11 日,我都会想起我那三个死在贵妇小径的哥哥。他们当时才十几岁。他们的名字被刻在纪念碑上,那个纪念碑就在看着他们出生,却没能看见他们平安归来的小村子里。而现在人们每年都会花一天的时间去纪念那些"被屠杀的人"——就像你说的那样,我感到很欣慰。不管是你跟我说的欧梅亚王朝的人们,还是我那三个可怜的哥哥,我都替他们感到惋惜!战争让太多无辜的人失去了生命……

好吧,这些都不是什么令人开心的事儿。

我没有勇气再说下去了。我怕自己会受不了。

宝贝,太奶奶让你伤心了吧！请你原谅太奶奶。

第二天

过去发生的一切不知道被什么东西给搅混了。太奶奶有点晕乎乎的,写了那么长,却还没告诉你重点。

我养的那只母猫生了两只漂亮的小猫。我也不知道自己怎么搞的,弄死了其中一只小猫,另一只我还养着。咳！我觉得自己越来越多愁善感了。难道说,只是因为圣诞节快到了？我在想,今年要送你一份特别的圣诞礼物。

剩下的这只小猫身上长着橙黄色的虎斑。我跟你差不多大时,曾央求我奶奶给我买一只这样的小猫。奶奶受不住我的哀求,只好答应我了——但她其实是不愿意的。然后我就带着小猫兴高采烈地回家去了。宝贝，如果你想要的话，这只猫就是你的啦。不过，你得早点来接它，别太晚了啊，不然等过几天，它的爪子利了之后，肯定会把我的窗帘和摇椅抓得乱七八糟。到时我肯定会生气，肯定会后悔自己救了它的命……

深深地吻你，我的宝贝。

想念你的太奶奶

PS：对了，你跟你的朋友和好了吗？不好意思，我已经忘记她的名字了。

1998 年 12 月 19 日

亲爱的太奶奶：

哇塞！马上就到假期了！我好开心。我已经烦透学校啦！

期末到了，老师们都有点疯疯癫癫的，今天给你来一个小测试，明天又给你一个小测试，到处都是小测试！他们根本就不是老师了嘛，都变成各种小测试专业户了！不过现在，哈哈哈！我好开心呀，嘿嘿，假期就要来了！好了，我先收起我的兴奋之情，来看看您上一封信给我写的什么。

可怜的太奶奶，我完全不知道您的三位哥哥死于战争！我甚至不知道您原来有哥哥！为什么您从来都没有跟我说呢？为什么爸爸和爷爷也都不跟我说呢？您确信他们知道这事儿？

太奶奶，我想说，发生在您哥哥身上的事实在太可怕了！而您，一下就失去了三个哥哥，那真是太不幸了！

我也有两个哥哥。在这之前，我从没想过他们两个会一起死掉……如果这样的话，那我真的就是家里唯一的孩子了！

如果真发生了那样的事儿，我想任何东西都无法带给我安慰。即使11月11日飘荡在死难者纪念碑周围的军乐都无法抚慰我的心灵。

但太奶奶您已经老了，这些军乐应该能抚慰您那颗受伤的心吧！而我，您知道的，只有一样东西可以让我感觉好点儿，就是教堂的管风琴乐。我之所以这么说，是因为我只在教堂参加过一次葬礼。您也知道的，是波琳娜姑姑的葬礼。其实我跟这位姑姑并不是很亲近。但我记得那天在教堂里，听着为她弹奏的管风琴乐，我的眼泪就流了下来，仿佛她是我很喜欢的一位姑姑,我正在为她的离去感到悲伤。总而言之,我觉得挺奇怪的。而我也因此发现了一件事:人们只在有人去世的时候才有资格听到这样的音乐,而通常,这种音乐只能在别人的葬礼上听得到,自己的葬礼上是听不到的(因为你已经死了啊)。真是令人遗憾。当然啦,如果我们躺在棺材里,升上天堂了,还能听得到音乐的话,那就另当别论了。只是这好像有点儿吓人……

妈妈刚刚过来了,看我在干吗。我告诉她我在用电脑给您写信,于是她就说这主意不错。她看到我在跟您说波琳娜姑姑和葬礼的事,脸色有点奇怪。她说您年纪大了,别老跟您说这些事儿,可以说说别的。

好吧,我也想说点别的,但是说什么呢?

这毕竟是您先开的头。您自己告诉我您的三个哥哥死于一战,所以我才接着您的话往下说的……

哎呀,我又想到了我的两个哥哥!他们每天都在玩杀人的电子游戏。当然,我一点儿也不希望他们两个死在战场上。但我觉得受一点小伤,让他们学乖点倒是可以,您觉得呢?

至于我和朋友露西亚,我们还是老样子。自从上次我们两个在数学小测试上得到 0 分后,她就再也不喜欢我了……

好了,我不跟您说啦。下次再聊吧!

深深地亲吻您,亲爱的太奶奶。

您喜欢的曾孙女安娜贝尔

1998 年 12 月 24 日

圣诞节前夕
哇，好棒！

亲爱的太奶奶：

　　为什么您没有回我的上一封信呢？是不是因为我跟您说了葬礼的事儿，以及其他乱七八糟的事，所以您就不想理我了？如果是这样的话，我向您道歉；但如果不是这样的话，那是为什么？

　　您让我有些"丈二和尚——摸不着头脑（我不知是不是这样说，之前好像看过这句歇后语）"了。

　　您在上一封信中说要送给我一只小猫，但回信的时候我完全没有提到这件事，难道是这个缘故，所以您不理我？您说您不小心把另外一只小猫弄死了，这就意味着，如果我想要小猫，只能选择活着的那一只！这么说我就别无选择了！而我又总会忍不住想，被您弄死的那只小猫可能才是我喜欢的类型。好吧，我常会想这类乱七八糟的事儿。我也很想不去想这些，但我控制不了我自己。

我想，或许是因为其他人总是替我做选择吧，这让我觉得很烦恼。就说今年年初吧，我在犹豫到底是学跳舞，还是跟我的哥哥们一样，去学柔道（这样的话，我就能摔他们几下，让他们目瞪口呆！嘿嘿，我要把他们摔得筋疲力尽）。

但是，妈妈在我没有最终做决定之前，就给我报了舞蹈班。她说学跳舞可以让我更优雅。但我想不明白，初中生需要优雅吗？优雅有什么用呢？真这样的话，同龄的女生也只会说你做作，爱炫耀；而那些男生，就会像口香糖一样，紧紧地粘着你。要是我学柔道的话，一切就都不一样了，他们哪里还敢随便跟我来往，甚至欺负我啊！

再给您举一个例子。我们一家人在一起吃饭的时候,我通常都吃不到我想吃的菜!因为菜都被他们夹完了。我永远都只能吃他们剩下来的东西,您看,有时候竟然连剩下的都吃不上了!

而您呢,您这回帮我选了一只小猫。

但话又说回来,妈妈不会同意我把小猫带回家里养的。而如果它真像您说的,会在地毯上尿尿,还会把窗帘撕坏,那妈妈就更不会同意了。

到时候,妈妈就会说:好,你喜欢小动物可以,但如果你真要养的话,只能养一只不会破坏家里东西的动物。然后,当我在想要养什么动物的时候,妈妈又会动作迅速地给我买一只黄色的金丝雀。要知道,这种愚蠢至极的动物每天早上都会像幽灵一样大声歌唱。

太奶奶,您能感觉到吧,今天晚上我有点烦。今天是平安夜,我花光了身上的钱去给大家买礼物,而我却不知道他们到底值不值得拥有我的礼物。

朱勒和乔纳森好可恶，我讨厌死他们了。他们来我房间的时候不敲门就直接进来了。他们两个人一看到我买的礼物，就说是他们的，直接就拿走了。这可是我要给他们的惊喜啊！再说了，他们两个也不会给我什么惊喜。朱勒跟我说，他没给我买礼物，因为他身上连一个子儿都没有。我希望他这么说只是在逗我玩。我可是把所有的钱都拿去给他买礼物了。可结果他什么也没给我买，这实在太不公平了。太奶奶，您说是不是？

　　哦，对了，太奶奶，我还给您寄了一幅画，这是我用电脑画的。爸爸说我画得好，夸我有进步呢。希望您会喜欢。我亲爱的太奶奶，圣诞快乐。爸爸妈妈也给您写信了，我把他们的信和我的放在一起了。最后，希望太奶奶的脚可以马上好起来。

　　深深地拥抱您，亲爱的太奶奶。

　　　　　　爱您的曾孙女安娜贝尔

1999 年 1 月 1 日

亲爱的曾孙女：

今年是 1999 年，明年就是千禧年啦！我从没想过自己可以活到这个时候！

太奶奶祝你在新的一年里身体健康，家庭和睦，友谊地久天长。

你爸妈给我打电话了。太奶奶听了他们说的话，觉得新年的确有新气象，一切都好呢。我想跟你说说他们给你买的礼物，据说是一台相机啊！很棒！我希望你给我寄一些你们家人在圣诞节拍的照片。我这里没几张你们的照片，如果你给我寄的话，我会很开心的。不过我最开心的是，我能拥有我最疼爱的安娜贝尔的照片啦。

对了，我还要谢谢你。每次收到你的信，我都觉得很开心。现在很少有像我运气这么好的太奶奶啦，因为我有一个很乖很乖的曾孙女！

宝贝，新年快乐。

深深地拥抱你。爱你，宝贝。

想念你的太奶奶

1999 年 1 月 8 日

亲爱的太奶奶：

　　首先要祝您新年快乐！您说新年新气象，可我不觉得是呢。这新的一年刚开始，我就觉得糟透了。今天我过得很不好。老师给我们发了欧梅亚王朝的小测试试卷，我竟然只得了3分！

　　最让我感到生气的是，当我跟您说了欧梅亚王朝这事儿之后，我突然感觉自己记住了许多东西，可是当我面对试卷，看着上面的问题时，我突然一下子什么都想不起来了，我只记得您的三个哥哥和贵妇小径了……我的运气实在太糟糕了，对不对？

　　课本的内容我就记住了那个躲过大屠杀的阿卜杜·拉赫曼。也就是因为他，我才没有得0分。

虽然如此,但我宁愿不要这个分数。

您也知道,上了初中之后,考试得0分可比只得3分强多了。3分没有任何意义;而0分,起码从字面上看起来是饱满的。(我不记得自己有没跟您说过数学小测得0分的事儿了。)

数学小测试得0分,历史小测试得3分……

啊,真是烦死我了!新年刚开始,考试就得了这么糟糕的分数。我想说我已经很努力了啊,可是结果呢?我只能说,我的运气实在太差了。

就写到这里吧。

再见,太奶奶。

绝望的安娜贝尔

1999 年 1 月 21 日

爸爸在给我开电脑的时候,我告诉他今天是"路易十六的死祭"。他从喉咙里挤出一句"哎!"。我想起来了,路易十六是一个可怜的国王,他被送上了断头台。哎!想到那些被砍头的人我就觉得害怕。说实话,砍头真是一件很恐怖的事情。

亲爱的太奶奶:

您一直都没回信,我有些担心了。于是我从爸爸那里要了您的号码。我拨通了您的电话,但一直没人接听。而您竟连可以留口信的答录机都没有。可怜的太奶奶,您还真是活在另一个时代啊!

太奶奶,您别觉得我的话不好听,这的确是事实啊！您看，您家里也没有洗碗机，有的只是一台磨咖啡的破玩意儿。那个机器上有一个滑阀，磨好的咖啡就从那个孔里漏出来。用这东西磨咖啡时还会弄疼手！我还从没在其他地方见过这样的机器哩！我跟您说，从来没有！

我跑题了！因为您的电话一直没人接听，于是爸爸妈妈就打电话给邻居弗里奇夫人。其实我们搞错了，一直记得她叫弗里斯夫人，因此费了很大劲儿才找到她的号码。是她告诉我们您住院了。她说因为您的脚又肿了，所以您只得去医院。

因为您的脚又"充满气"了，所以您就飞走了！

太奶奶别在意，我就是跟您开个玩笑。我希望您没有什么大碍。但是，话又说回来了，太奶奶您出事了，至少得通知爸爸和爷爷呀。再怎么说，爷爷也是您的儿子，虽然他也已经60岁了。这次您出事，他竟然什么都不知道。爸爸说我们就跟一群傻瓜一样，连这种消息也要去问您的邻居才知道。

对了,您要给我的那只猫现在在哪儿呢?虽然它还不完全是我的,不过也差不多了,因为妈妈也没说不同意。我想医院应该是不让带猫进去的吧?如果它在地毯上尿尿,医院就更不让它进了……

妈妈告诉我,说那只猫可能在弗里奇夫人家。希望是这样吧。

太奶奶您可能会说,我只记得小猫,不记得您了。其实是这样的,因为小猫太小了,它随时都有可能走丢,所以……而您呢,都这么大岁数了,头脑好歹比小猫清楚呢,我不用太担心您……不过,我可不想太奶奶老是待在医院里。医院这个地方让我觉得害怕。我没有勇气去那里。太奶奶,如果您不觉得我打扰你的话,等您脚消肿回到家里休养的时候,我再去看您吧。这样好吗?

深深地拥抱您。

安娜贝尔

1999 年 1 月 24 日

亲爱的曾孙女：

　　收到你的信太开心啦！我唯一的读物就是你的信了。其他的东西，我实在没什么心思去读……我让弗里奇夫人把你写的那些信从家里带过来，一遍又一遍地读。看了你最先写给我的那几封信，我发现，你一直都没告诉我你为什么会跟露西亚闹翻。我忘了说，露西亚这个名字也挺好听的。

　　而你在另一封信里说，是因为考试得 0 分，所以你们的友情才破裂了。可是这怎么可能呢？正常情况下，人们都不会因为考得不好而闹翻。是不是发生了别的事儿，才让你们彼此变得更加厌恶对方？宝贝，在我看来，友情破裂就跟分手一样，都是很严重的事儿。当然,我这里说的是两个真正的朋友的友情破裂,说的是两个真正互相喜欢的人。如果两个人的友情不真诚,那情况就不一样了。

我希望你能告诉我究竟发生了什么事儿。因为这一切让我突然觉得很悲伤。我觉得,人生太短暂了,任何美好的爱情和友情都浪费不起。

深深地拥抱你,我的宝贝。

想念你的太奶奶

PS:你的小猫在弗里奇夫人家,你放心,它很好。每当弗里奇夫人把它从笼子里放出来时,它就开始大闹天宫了。每周二,它都把人家的电视报撕碎。我这可怜的老朋友呀,每天晚上都得看着它,怕它做出什么蠢事来。而她也就因此失去了自己的宝贵时间。不过这都不是什么很严重的事儿,因为还有更惨的:每天晚上弗里奇夫人都得折腾到一点十五分才能睡觉,而且只能睡在电视机前……

宝贝,你好奇的东西还真多。太奶奶给你解释一下吧。

你在信上说我家连洗碗机都没有，你觉得很奇怪。其实也还好呀，我就是喜欢用手洗，我喜欢把手浸在水里的感觉。还有呀，你想想，当我们和朋友，或者孙女呀在一起洗碗的时候，就可以一起聊天，多好呀！我还记得，有一次呀，我的小安娜贝尔在厨房里用力地刷盘子，她对我说她嫉妒她的哥哥们，因为他们总有许多事儿可以跟爸爸一起做，而因为她是女孩子，就不能跟他们一样。

至于我那台磨咖啡的机器，别看它旧，买的时候还挺贵哩。那是我母亲买的。我曾经见她把机器夹在膝盖之间，用力地在磨咖啡。她那双蓝色的眼睛里空洞无物，我不知道她当时在想什么。

每当我看着那台机器和我的双手时，我就觉得自己在磨一些很久很久以前的咖啡豆。刚开始是我母亲磨的，后来她把东西都交给了我，她让我把这些咖啡磨完。

再亲一下，我的宝贝。你看吧，太奶奶可是时时刻刻都想着你呢。

太奶奶

1999 年 1 月 31 日

亲爱的太奶奶：

收到您的信实在太开心啦。我又开始飞快地敲键盘，给您回信啦。我感觉自己就像一个大人了。您懂我的意思吧？爸爸说他为我感到十分骄傲。

太奶奶，我跟您说，这些日子以来我不是一直都给您写信嘛，我隐约觉得自己以后可以当一个作家。您觉得这个主意怎么样？我曾跟妈妈提过这件事，不过她说要成为一个好的作家是很难的；她还说，如果她是我的话，她就会选择一个与信息技术有关的职业，因为在她看来，我对电脑挺有兴趣的。

您看吧，她又想替我做选择了。她总是这样！

好了，不说这个了。这次我要跟您说说露西亚的事儿。

其实说起来挺滑稽的，一直都没有人问我跟露西亚到底出了什么问题，只有您对这个问题特别关心。从某种程度上来说，我羞于开口，我觉得自己做的事不是很光明磊落……

这一切都是因为数学小测试。

小测试的时候，我都傻眼了，因为我根本不会画图……我什么都不懂！我把中线，什么垂直平分线都搞混了……我完全乱了。

于是我低声对露西亚说，让她把试卷给我抄。她小声回答我说，其实她也不是很懂。但我没理会她。我只是觉得自己必须抄到答案，不然就得0分了。于是我一直揪着她不放。最后她迫于无奈，只好把试卷给我看了，我赶紧照着抄了一遍。再之后，我们就把试卷交上去了。很显然，这两张试卷看起来几乎一模一样。其实我很清楚，老师肯定会发现这个问题的。可我就是抱有侥幸的心理，我默默期盼老师会因为走神,而没注意到我们的试卷。

而当老师把试卷发下来的时候,我们两个人都得了0分。

她说:"我不知道你们谁抄袭谁的,所以两个人都是0分。如果你们觉得不公平的话,那就请抄袭的那个同学下课后留下来。"

我们两个人都哭了。露西亚哭是因为她觉得自己不应该得0分;而我哭是因为自己胆小,我没办法想象如果我"自首"了,其他人会怎么看我。我害怕别人对我指指点点。

奇怪的是,露西亚越哭我就越生她的气。我心想:如果她哭得比我伤心,那么老师和其他人肯定会猜到是我抄她的试卷。

为了不让他们猜到这个事实,我尽力哭得比露西亚大声。

下课后,老师温柔地对我们说:"孩子们,勇敢一点,说出事实。安娜贝尔,是你抄袭了露西亚的试卷，对吗？”

我本应该说“是”，但我脱口而出的却是“不是”。

露西亚立刻停止了哭泣。她盯着我看了又看，我不知道该怎么跟您形容当时的情景。那表情就好像我是一堆狗屎，她看到了，正想要绕道而行……

老师接着说道：“既然这样的话，算了，你们两个自己去理清楚吧……”

我们俩满怀心事地走出了班级……

之后露西亚就再也没有跟我说过话了。

从那以后，她就成了卡蒂的同桌。而我的同桌就不固定了，任何一个人都可能是我的同桌。我有好几次跟奥利维埃坐在一起，他是一个活泼的男生，也很喜欢我。有时候，我也会跟芬妮一起坐……

太奶奶，我再也不想交好朋友了……再也不想了……

我一边哭，一边给您写着信。还好我不是用钢笔给您写信，要不然啊，那些墨水肯定早就化开了，然后会在纸上留下星星点点的墨迹。那些墨迹就像白纸上的一些伤心的云。

太奶奶，写到这里，您有没有觉得我有点儿诗人气质呢？

说实话，我很害怕您给我回信，因为我不知道您会跟我说什么。对了，您不要把我刚才跟您说的事告诉任何人，不然我以后就再也不给您写信了。

我发誓，我真的会这么做的！

这是一个很可怕的秘密，您认为呢？

用力地拥抱您。(我知道，我做的事很恶心……)

不善良的安娜贝尔

1999 年 2 月 1 日

亲爱的曾孙女：

今天我的脚很痛，因此我就不跟你说太多了。

你知道吗？因为疼痛，我几乎无法思考其他的事情。这种痛实在太可怕了。

如果我能把我的脚砍掉的话，我会的。

回想从前，我是多么喜欢我的这双脚！

这让我想起了你的曾祖父，我可怜的丈夫鲁卢。我们从前会一起跳华尔兹，一起跳探戈……20 岁的时候，我们俩的探戈都跳得很好，每周六晚上我们都会去参加地区舞会。那个时候，我的双脚就像永远都不会累似的，它们跳啊跳，飞啊飞，我是那样的轻盈……宝贝，你无法想象我当时的样子吧？在你眼里,我应该一直都是现在这副样子:一个活动不便的老妇人,就像一个土豆袋子,身材变形,贴着一堆赘肉……但显然,这并不是事实的全部,宝贝,太奶奶也曾经年轻过,也曾经优雅过呀!每当我想到我的双脚,我就再也无法去想其他的东西了……

安娜贝尔,你想想你的双脚,它们既可以走,又能跑能跳的,它们的活动是那样地灵便!多好呀!

这时,我突然想到那个创造"蠢得跟脚似的"的谚语的人,他才蠢呢!你说脚哪里有他说的那么"蠢"呢?

深情地拥抱你,宝贝。

想念双脚,也想念你的太奶奶

1999 年 2 月 8 日

可怜的太奶奶：

　　因为您的上一封信，我的生活变成了黑色。您都不知道我等您的信等得有多着急。我一直在想，您到底有没有收到我的信！您有读我的信吗？？？

　　自从我把信寄出去之后，我每天都在想：我告诉太奶奶我跟露西亚之间发生的事，她到底会怎么想呢？她现在是不是也很鄙视我？她是不是认为我是一个谎话精，一个作弊不敢承认的人？

　　有一天，我突然觉得自己不应该告诉您这些事的，因为您有可能会跟我爸妈说。而到了第二天，我又觉得应该感谢您，因为您，我才有了倾诉对象。您的生活阅历非常丰富，您可以给我建议，可以安慰我。总之，我自己胡乱想了好多。

收到您的信时，我心里七上八下的，打开信的时候手更是抖得厉害。我寻思着，您到底会跟我说些什么呢？看完信后，我发现您写的都是您的脚。啊！这不是跟我期待的一样吗？我本来害怕听到您对我的意见，而恰恰您一句话也没说！但我同时也感到震惊，就跟当时我听到哥哥们说我很神经兮兮时一样。

我承认，我真的不知道该怎么思考了。

也许您从来都不在乎发生在我身上的事，或者其他任何人的事情；也许您年纪大了，脑袋不好使了，人们一跟您说话，就会让您想起您的双脚……

简而言之，不管怎样，我们说的不是同一件事。

就写到这里吧。不好意思，我现在得去写作业了。

我真想我的双脚也有毛病！

安娜贝尔

1999 年 2 月 11 日

亲爱的安娜贝尔：

我觉得谈年龄是一件很无趣的事。你已经快14 岁了吧。对我来说，你好像一直都只有 11 岁……然而不管怎么样，事实是你一直在长大……

不要经常写信给我了，太奶奶没什么心思给你回信了。我并不是不在乎你。我只是累了。觉得这一阵太累了。

再见。拥抱你，宝贝。

太奶奶

PS：对了，听说你爸爸要过来看我，是吧？你让他来的时候顺便去弗里奇夫人家接你的小猫吧，不然弗里奇夫人要把它送去动物保护协会了。

1999 年 2 月 15 日

亲爱的太奶奶：

我已经不记得自己上次给您写了些什么。不过从您的回信来看，似乎您读了我的信之后不太开心。

哦，对了，我想起来了，我当时之所以生您的气是因为您答非所问。我问您的事儿，您完全没有当一回事。好吧，就像您上次说的那样，如果我因为这样而不开心，那我最好是写信给阿美莉舅妈，不要写信给您了……

但是，不管怎样，我都希望太奶奶您不要不管我，我已经习惯了收您的信，就跟上瘾了似的。如果您不给我写信，我会觉得很失落，真的！

这个周末爸爸会去医院看您。妈妈不跟他一

块儿去,她说光来回就有800公里路,去400公里,回来又400公里,太远了,她没法忍受。但您不要生气哦,她并不是不爱您。因此这个周末她又要跟往常一样待在家里,做千篇一律的事情了:洗衣服,大扫除,购物——马上就到我的生日了,我想妈妈这个周末会去给我买生日礼物。我跟她说我想要一个随身听。您知道随身听吗?这东西可以用来听音乐。

简而言之,爸爸这次会一个人去看您,然后回家的时候会帮我把小猫带回来。

我知道您现在也不可能给我寄什么生日礼物了,就当这只小猫是您送给我的生日礼物吧。在这里,先谢谢您啦。

我希望您的脚能够好一些,这样您就可以想点其他的事儿了。说实在的,我没办法想象,一天到晚只想着自己的双脚会有多烦!

爱您的安娜贝尔

PS：我才不是 11 岁呢，我已经 12 岁啦。不要让我又活回去了！就我这个年纪来说，我是一个傻瓜——从各个方面来讲，都是的。（就比如我跟您说的那些蠢事吧，真的很傻，于是您可能就想这么蠢的事儿，根本不值得您给我回信。）

对了，忘记告诉您了，我有一个朋友，为庆祝封斋期，要举行一个化装舞会。她希望我们都乔装打扮一番。这对我来说没什么大不了的。

乔纳森给我出了个傻主意："打扮成怪物吧。你本来就是怪物，所以也就没有必要再装了。"

听了他的话，我简直要气哭了，太可恶了！

然后，朱勒添油加醋地说："不然就扮古代的哭丧妇吧。这样的话，你也不需要怎么打扮的。"

妈妈听了，点头称道，觉得这个想法还可以。她说最近这段日子我都变成爱哭鬼了。

"安娜贝尔，这个舞会挺好的。你去玩玩"，妈妈说道，"我们想想，要把你打扮成什么样子。"

完了，我得赶紧在她之前做决定，不然她又要帮我做决定了。

SOS（求救）：太奶奶，您有没有什么主意呀？要快哦，8 天之后就是化装舞会了。

1999 年 2 月 21 日

亲爱的太奶奶：

爸爸把我的小猫带回来啦！

这只小猫实在太可爱了！我太高兴了！都不知道该如何表达我的喜悦之情了！

它用爪子抓了我几次，不过这再正常不过了，毕竟它跟我不熟。晚上，它会蜷缩在我的床脚睡觉。不知道为什么，这让我在睡觉的时候觉得特别舒服。

哥哥们都很嫉妒。爸爸看出了他们的心思，立刻就说这只小猫是我的，由我来照顾。我给它找了一个塑料箱子，让它住在里面，还给它弄了食物槽，还有一些其他的东西。哦，对了，下个礼拜，我还要带它去打预防针。

这种感觉很像自己在照顾一个小婴儿。当然了，我也会很小心照看它的。妈妈说有责任心是好事，可以帮助一个人成长。不过很显然，有时候责任心也会让人觉得恼火。就说昨天晚上吧，电视上正在播放一部很棒的电影，我看得正起劲的时候，小猫一直喵喵叫，但我并没有马上去安抚它。于是妈妈就生气了，开始大声叫嚷："安娜贝尔，你的猫要去大便啦。但是那个'厕所'的门没开，它只好随地解决了。你快去把大便打扫干净……"

我跟妈妈说等电影看完了我马上就去扫，但妈妈就是不答应。

"马上去扫干净！门口都有臭味了……"妈妈一刻也不停地催促我。

确实，门口臭烘烘的。

朱勒和乔纳森捏着鼻子，笑个不停。我拍了小猫一下，但它似乎没有生气，而是迅速地跑到窗帘那边，自己玩起来了！这个小调皮蛋，也不知道是不是看我生气了,赶快躲开了!

我在清理猫屎的时候,妈妈又叫了起来:"安娜贝尔,把你的猫带走,别让它玩窗帘了。不然你的零用钱就都要贡献出来,去买新窗帘了!"

把我的零花钱拿去买窗帘?我才不要呢,我早就打算好了,等随身听到了之后,我就拿这些零花钱去买我喜欢的CD。所以,想拿走我的零花钱,没门儿!再说了,这些零花钱我可是辛辛苦苦存了好久呢!怎么能把钱浪费在买窗帘上呢?

总之,因为这只小笨猫,整部电影我只看了一半。不过这都不要紧,能够拥有它,我依然觉得很开心。每天晚上我放学回家的时候,小猫只要看到我,便会立刻跑上我的床,然后躺下来,等我去抚摸它。我跟它念叨,轻轻地说着话,然后它就开始打呼噜了。

我想它应该也很喜欢我呢。

现在露西亚已经不喜欢我了。小猫的喜欢多

少能让我觉得安慰。

太奶奶，您要赶紧好起来，跟以前一样，复活节的时候我会去看您的。

深深地拥抱您。

安娜贝尔

PS：对了，还要谢谢子普！这是我刚给小猫取的名字。

1999 年 2 月 22 日

亲爱的太奶奶：

太奶奶，这些是什么东西呀？今天早上，我从邮局搬回来一整包旧衣服，还是弗里奇夫人给我寄的！到底是怎么回事儿？？？

包裹里有许多旧玩意儿。妈妈说那些旧衣服很漂亮。这些衣服是不是您的呀？好奇怪，包裹里没有信和卡片什么的。这些衣服寄给我干吗呀？您是想等您死了之后，把这些留给我做纪念吗？

请您有空给我回信。

深深地亲吻您。

安娜贝尔

PS：爸爸刚刚回家了，我们给他看了您给我寄的旧玩意儿。他看到这些东西的时候才恍然大悟，拍了拍自己的脑门，大声地说道："该死！我给忘记了。奶奶在医院的时候就跟我说过了，她让弗里奇夫人去她家的仓库里找了这些旧衣服，说是要寄给安娜贝尔的，这样她去参加化装舞会就有衣服穿了。"

我不知道自己穿上这些衣服后会变成什么样儿，但我知道，至少打扮起来会很有特色！谢谢太奶奶，原来您还想着我哩。下回再写信详细跟您说说打扮的情况吧。

1999 年 2 月 26 日

亲爱的太奶奶：

我很担心您。

爸爸和爷爷打电话的时候我听到了，说是您的脚出现了很严重的问题，可能需要把脚锯下来！

锯掉一只脚！

原来真的会有人这么做！我到现在才知道。

我不要您的脚被锯掉，这太可怕了！虽然这与路易十六被砍头相比，并不是那么可怕，但终究还是一件十分可怕的事……

我现在才明白为什么您会在上一封回信中说您的脚了……

我觉得他们不会有机会把您的脚锯掉的。您

肯定会在他们那么做之前就痊愈的，我给您打包票。您说吧，现在人们都能把猪心移植给心脏衰竭的人了，没理由治不好一只肿胀的脚呀。

我现在跟您一样，都没法儿想别的事了，想的都是您的脚。您看吧，就连思想也都会传染的！

好吧，我也要试着不再去想您的脚。

来说说化装舞会吧。别说，您给我寄的那些旧衣服还挺管用的，打扮起来还真不错。您绝对不会想到，我扮的那个人是您！不过当然是年轻时候的您啦。我穿上您的裙子，仿佛就变成了您，那种感觉很奇怪呢……还有，太奶奶，我现在已经长得比您高啦。您还真是一个迷你的太奶奶！妈妈给您的这条蓝色裙子下面缝了一些羽毛，还给我梳了一个发髻，然后让我戴上了您的小帽子。我拿照相机给她，让她给我拍了张照片，这次一并寄给您。

您有没觉得我很像您呀？希望您会喜欢呢……

对了，我跟您说过的那个朋友露西亚她也去化装舞会了,那天她扮的是夏洛特。夏洛特是您那个时代的人,对不对?她盯着我看,我也盯着她看,不过我们都没有说话。

最后我要跟您说的是,我觉得这样乔装打扮很好玩。当我穿上您的衣服时,就好像您附在我身上一样。您有没有跟我一样的感受?

太奶奶,我跟您说,我的舞跳得很好哦。不过显然,我跳的不是您年轻时擅长的华尔兹或者探戈,而是一些比较疯狂、好玩的舞蹈。更疯狂的是,那天晚上跳舞的时候我一直在跺脚!您知道了吧!

啊,就说到这里,我又想起您的脚了。医生不会把您的脚砍掉的,对不对?这不会变成真的,对吗?

深深地拥抱您。

十分想念您的安娜贝尔

1999 年 3 月 1 日

亲爱的曾孙女：

这封信是我在手术之前写的。这足以说明你在我心目中的位置，宝贝。

你在信上说，医生可以成功地将猪心移植到人身上，所以他们应该也能治好我那肿胀的脚。可惜不能，我的脚治不好了。事实就是如此。也许你会说医生们可以照葫芦画瓢，把猪脚移植到我身上……但是你想想看，假如医生真的把一只猪脚安在我身上，看起来肯定特别傻吧，你说对不对？

不过，我今天写信来可不是跟你说这个的。

我想跟你谈谈露西亚。

你可能会想：这个太奶奶，我跟她聊露西亚的时候,她就跟我说她的脚;而我跟她说她的脚时,她又跟我聊露西亚。不瞒你说,这就是老人家,总喜欢顾左右而言他,真的有点让人讨厌呢!

不过宝贝啊,今天晚上,太奶奶真的不想说我的脚了。刚刚我还谢绝了那些晚上要来看我的访客。我才不要他们陪哩!

今天晚上,我要跟我的小宝贝露西亚,还有我的好朋友泽莉亚一起过。你第一次跟我说起露西亚的时候,我就想起了我的朋友泽莉亚。可能是因为这两个人的名字太像了吧⋯⋯

我之前跟你说过吧?我也有一个很要好的朋友。不过后来,我也把这个朋友弄丢了。

你和我都做了相同的事。

我跟泽莉亚从小一起长大。我们在同一所学校上学,就连梳的发型也是一样的。当时,我们的妈妈用金属卷发夹子给我们烫头发,这种卷发可以从晚上维持到隔天早上;接着她们还会给我们绑上漂亮的丝带。

我喜欢泽莉亚。她长得很漂亮。非常漂亮,比我漂亮多了。那个时候我们还小,顾不上漂亮不漂亮的。我们两个都不在意这个问题。

我经常辅导泽莉亚做作业,给她讲教理问答课的内容——她没上过这个课。那时,我很怕等她死后,我们两个人会永远分开;我怕她会跟那些没有宗教信仰的人一起下地狱,而我只能孤零零地待在天堂。

我上学的时间比她长很多。泽莉亚的父母认为女孩子只要懂得阅读和写字就够了,不需要读太多书。在他们看来,书读多了会变得迂腐。

就因为这个,再加上一些别的事,我跟泽莉亚之间的距离越来越远了……

每当我们聚在一起的时候,我都会告诉她我在学校里又学到了什么,想要把这些东西都教给她。但她却因此觉得恼火。她说她烦死学校和学习了!

她才不想跟我说什么学习，她只想跟我聊她的爱情。

而每次不管她说什么，我都只会摆出一副"我什么都对"的样子，教训她，念叨她。我就像一个严守道德的老太婆，总是凌驾在她之上……

最后，她终于受不了了。有一天，她当着我的面扔下了一句话："你知道吗？你说话比放屁还响，再这样下去的话，没有一个人会喜欢你！"

现在想想，她当时应该是气疯了才这么说的。

但糟糕的是，她说的每一句话我都相信。我当真了！我常在想，为什么我当时就不能选择不相信她的话呢？

记得她说出那些话的时候，我特别厌恶她，那是一种从未有过的感受。而我同样也从她的眼睛里看到了厌恶。

泽莉亚仿佛给我下了某个咒语，她说"没有人会喜欢我"，而一切似乎就如她所说的那样。

我常常自言自语："好吧,这下没有人会喜欢我了。我的一生就只能这样了。"

而现在,我觉得自己几乎完全忘记了这一切。因为最后终于有人喜欢我了……

宝贝,还好有你在我身边,不然……

我经常会想起泽莉亚。我在想她会变成什么样子,她过得好不好。我希望她过得幸福。我又会想,她是不是已经死了? 她是不是去了天堂? 是不是就在那儿等着我? 她还记不记得我?

安娜贝尔宝贝,你看,今天晚上,即使一切的疼痛都要结束了,我也还想着她……当然,还有你。

我想念我的朋友。

你还小,能懂得太奶奶的这种情感吗?

我想你应该不懂吧。

值班的护士刚刚过来了,微笑着问我是不是在写遗书,她还说:"啊,写那么长了呀! 您肯定有很多财产要给儿孙继承!"她的语气里充满了欢愉。

接着她温柔地说道："您不要太担心了。您会好起来的。"

其实我不担心的，该怎样就怎样吧……而且我要说的是，我也没有多少财产可以给人继承。

对了，我要说的最重要的一件事：永远不要把你今天能给的爱留到明天。

太奶奶把你的照片放在床头柜上，这样我一转头就能看见你了。你是不是像我，我真的不知道。不过好像你跟家里的其他人也都不像。太奶奶想说，其实这样很好。

比以往更深情地拥抱你。

不要忘记我，宝贝。

永远爱你的太奶奶

1999 年 3 月 4 日

亲爱的太奶奶：

读了您的信，我的泪水就一直在眼眶里打转。

我知道手术进行得很顺利，但您却受了不少苦。

我不知道该跟您说点儿什么，但我又感觉有好多事儿要跟您说。可我头脑里的东西都乱成一锅粥了：你的脚，疼痛，我的害怕，泽莉亚，露西亚，你，还有我……

我是一个从来没遭受什么痛苦的人。我记得的唯一的痛苦，是当初拔四颗智齿的时候。那时我疼得哇哇大叫，现在想来真是太让我羞愧了。原来医生不仅可以把智齿拔掉，还可以把人的脚给锯掉，就像把您的脚就这么锯掉一样。

我曾经认为自己经历了真正的疼痛，而现在，我的这么点疼痛和你比起来，真是太不值一提了。

　　我要说些什么才能转移您的注意力，让您不再去想您的脚和您的痛呢？

　　对了，太奶奶，春天已经到啦，天气很好。您送我的那只小猫子普性子可野了，天天就知道往外跑，那个小小的花园已经不能满足它了。我知道，它喜欢外面的世界，那儿有更广阔的天地，但这样，我们要让它回家就困难了。其实我也想像子普一样，尽情地跳跃，自由地奔跑，无拘无束地散步。我看着您经历的一切，想起您曾经对我说过的话："当双脚还灵便的时候，我们要充分地利用起来。"

　　嗯，我要充分地利用我的双脚，直到我死去。

　　我现在甚至开始喜欢上舞蹈课了。几个月前，我还很讨厌这些课程。现在，我已经懂得了如何踮起脚尖站立了，舞蹈动作也比以前熟练多了，整个人看起来轻盈多啦。

太奶奶,您难道没觉得春天让您变轻松了吗?

太奶奶,您知道吗?我现在越来越想当作家了。这多亏了您!因为我是在给您写信的过程中才慢慢发现了写作的乐趣。假如以后我真的成了作家,那我要在我的第一本书里亲笔给您题字。

太奶奶,反正我一定会缠着您。您要一直健康地生活下去,等到我成为作家,给您题字哦!

深深地拥抱您。

再见。

安娜贝尔

PS:记得我们每年的复活节之约吧?

1999 年 3 月 15 日

亲爱的太奶奶：

爷爷打电话跟我们说了您的情况，听他说您已经好点了。这样我就放心了。

最近经常下阵雨，妈妈对此很恼火。每次只要她带伞出门，老天就不下雨，于是她只能拿着伞到处晃悠；要是她出门不带伞，老天就会下大雨，于是回家的时候妈妈就变成了落汤鸡。妈妈这个样子真的好滑稽啊！所以她很讨厌这样。而最近这阵子也不知道为什么，我很喜欢下雨天。在我看来，一阵雨过后，一切都好像焕然一新了。我想要站在雨中，让雨水从头上倾泻而下，让我浑身湿透。

您应该会觉得奇怪吧？我跟您说说我的近况，

您就能理解了。

我觉得一切都糟糕透了。爸爸和妈妈收到了我的成绩单，家里炸开了锅，于是我的生日礼物泡汤了。妈妈说她本来已经买好随身听了，但现在说什么她都不会给我了，谁叫我成绩那么差呢！她这是要报复我！她说，我只有成绩提高了，才有资格得到它。

还有，他们取消了我的生日舞会！幸好我还没给朋友们分发邀请卡，否则的话，我的脸往哪儿搁？

不过幸运的是我还有一个叫奥利维埃的朋友。我记得之前跟您提过他。他是一个十分活泼的男孩儿，一个电影发烧友。他会自己撰写简短的电影剧本，然后由他的朋友皮埃克按剧本绘成漫画。之后他们会把剧本和漫画都给我看，让我给他们评价。他们说我可以像专业评审一样，有什么说什么，不用怕伤害他们的创作热情。而当我说"呃，这个，我不是很喜欢这个……"，他们就像两只保护幼崽的母兽猛地朝我扑了过来,把我给轰走了!

尽管如此,我还是很开心可以交到新朋友。试想,如果我没跟露西亚闹翻的话,我就没有机会和奥利维埃、皮埃克成为朋友了。我从这段友情中学到了许多东西,因为他们两个跟我太不一样了。

我想了想,以前的我和露西亚,就像您和泽莉亚一样,我们都希望变成一样的人,我们接触的是相同的东西,就连穿的衣服也都类似。而现在,我发现自己可以与跟自己完全不一样的人交朋友。跟他们在一起的时候,我再也不会想变得跟他们一样了。

至于我作弊和说谎的事儿,我就没跟他们说了。我觉得虽然我们是朋友,但完全没必要把自己的一切都告诉他们。因为他们也没有把自己的一切都告诉我。我跟奥利维埃、皮埃克在一起的时候,会谈论许多东西:电影、音乐、电视节目等等。我们看到的东西都不尽相同,聊起来也很有意思。我渐渐发现这样其实也很好。

太奶奶，这就是我交到的新朋友啦。

我很开心自己不再是孤单的一个人。不过说实话，我还是很想念露西亚。

有一些东西我只想告诉她。但她也不是唯一可以听我倾诉的那个人。

咳，不知道该说什么了。

不过我亲爱的太奶奶，您应该能明白我的意思，对吗？

我希望您的心可以不用再遭受痛苦了。

我好想复活节快点到，这样我就可以去看您了。

虽然，我的 13 岁生日就这样平淡地过去了，没有举办我期待的庆祝活动，但我觉得还好。这段时间，我长大了许多，不会再斤斤计较这些事儿了。咦，太奶奶您难道没有从信中看到我的变化吗？

深深地拥抱您，亲爱的太奶奶。

安娜贝尔

1999 年 3 月 22 日

亲爱的安娜贝尔：

太奶奶没什么心思去写一封真正的信给你。但我想告诉你的是，太奶奶很明白你在信中所说的意思，我也明白你对露西亚所做的一切。（你看，我也很有进步呢。这次你跟我讲露西亚的时候，我可没有跟你聊我的脚哦。）

曾有一个作家（我忘记了他的名字，原谅我记性太差），这么描述他很珍惜的一个朋友："如果人们逼问我为什么喜欢他，抱歉，我无法给出确切的解释，我只能说：'因为他是他，我是我。'"这话说得很好吧？

宝贝，你看，太奶奶又在说教了，可我就是情不自禁呀！

嗯，差不多了，太奶奶只想再说一件事：我喜欢泽莉亚是因为她是泽莉亚，而你喜欢露西亚是因为她是露西亚。

我想，也许露西亚就像你喜欢她一样，也喜欢你。即使你曾经做过弊，曾经说过谎……

加油，宝贝。

想念你的太奶奶

PS：现在好啦，不用再纠结忘记那个作家名字的事儿了，我问了一下弗里奇夫人，她得意地跟我说："是蒙田啦！"

不过太奶奶建议你还是去查一查资料，看看到底是不是蒙田。我这个邻居呀，记性也不怎么样，所以她说的话也不能全信。我可不想你因为她的话而闹出什么笑话来……

1999 年 3 月 30 日

我最最最亲爱的太奶奶：

您知道吗？有时候读您的信我会哭。

您在信里的那段说教说得很好呀！那段有关友情的话真的说得很好！我想我这一生都会记得。

您真的认为露西亚还喜欢我吗？也许她早就忘记了我呢！也许她早已不再想和我做朋友呢！如果她不理我怎么办？

我怎么觉得不太可能呢？不管从哪个方面来看，都是的。

天啊，我现在这个样子，完全不是我想要的样子。

我该怎么办？您是不是认为，人的一生中会有许多机会？又或者人可以选择多种生活？可我现在完全不知道该怎么办才好！

　　哎呀，一下子给太奶奶提了好多问题。没让您感到厌烦吧？因为这些问题，我自己也感到非常烦恼呢！不知道亲爱的太奶奶有什么好的建议吗？

　　再见，太奶奶。

安娜贝尔

1999年3月30日

亲爱的安娜贝尔：

人的一生会有上千次的机会，有时候甚至是几百万次的机会，所以你不要灰心。

事实上，我们每天，每小时，甚至每一分钟都能获得机会。

加油，宝贝。

深深地拥抱你。

太奶奶

1999 年 4 月 1 日

亲爱的安娜贝尔：

你爸爸刚刚打电话给我,告诉我说你的那只猫其实是一只母猫！！！这是愚人节玩笑吗？还是确有其事？

不管事情是怎样的,总之我是很想笑。

这回你得给它改名了,就叫子佩特吧！

不过,那只猫到底是母猫还是公猫,显然也不是你爸爸说了算！

好啦,就写到这里了。他们要带我去做肢体训练了。

深深地亲吻你,宝贝。

你的太奶奶

1999年4月4日

亲爱的太奶奶：

之前，爸爸和妈妈一起到医院去看您了。他们回家的时候，脸都阴沉沉的。

他们说，为了给您止痛，医生给您注射了强力镇静剂。可是，太奶奶，您的脚已经被锯掉了，不是吗？为什么您还会痛呢？我想不明白，于是我很努力地要去想明白……

我想，或许这就跟失去一段真挚的友情一样吧。就像您与泽莉亚的那段友谊一样，尽管您已经失去它很长一段时间了，但您却还会觉得心痛。您说是这样吗？

对了，太奶奶，我还想跟您说，我正在努力地尝试改变我的生活。

　　周二的时候,我已经跟露西亚谈过了。那时我抓住机会,坐在了她身旁。课堂的前一个小时我们一直没有说话,后来,我们零零碎碎说了几句话。最终,我决定把想说的话写在纸上给她看。也许是因为我们频繁通信的缘故吧,我现在更喜欢把一些严肃的东西写下来。

　　我把第一张小纸条递给她的时候,手抖得厉害。我只在上面写了一句话:"你还可以再跟我做朋友吗?"我并没有写"好朋友"这几个字。我觉得还是不要一下子要求太多了,似乎不太好。我们可以慢慢来。

　　她没有回答我。看她的样子,好像挺尴尬的。她这个样子让我有一种不舒服的感觉。

　　接着我又给她递了另一张纸条。我写道:"不好意思,因为我让你的数学小测试得了 0 分。我向你道歉。"

她马上就回了一句："不是因为这个。"

我又写："那是因为什么？"

很长一段时间了，她都没回我。我看她一直在写，写着写着就把句子画掉，或者擦掉；最后，她竟把纸揉成一团……当时，我觉得特别恼火。

我捡起了那个纸团，只听她嘴里轻声说道："不要……"

但我还是打开看了。

她写了好多话，但我只记得这些："我不知道我们还能不能做朋友，因为我已经不像从前那么喜欢你了……"

我觉得心很痛，不过她说的是对的。而我很清楚，就算没了她，我也一样可以活下去，只是会活得比较悲惨一些……

下课后我跟她说："因为我们再也不能做朋友了，我觉得很伤心……"

她说："我也是。"

太奶奶，您看，我们已经谈过了，可是我们依旧悲伤。我们的心仍旧沉重。我们再也不能像从前那样了……

这封信写得有些长了。希望太奶奶您读的时候不会太累。

深深地拥抱您。

安娜贝尔

我不记得确切的日期了，我估计是疯了。

亲爱的太奶奶：

我很担心您。爷爷打电话过来，说您心脏不舒服。因为您年纪大了，医生怕您的病会继续恶化。

不要，我不要这样子。太奶奶，求求您千万要健健康康的！这次我没有用电脑给您写信了。您在给我回的第一封信里说过，您喜欢我用钢笔给您写信，喜欢我犯的那些"可爱"的错误。所以我就用钢笔给您写这封信，希望您看到会开心。说不定你一开心起来，你的病就好了。

我觉得用笔写出来的信好像更真实一些，笔下的那些话就像是从心里流露出来的。

太奶奶，我会有其他的朋友，但我永远不会有另外一个跟您一样的太奶奶。所以能和太奶奶通过写信谈心，我一直都很高兴。

所以，亲爱的太奶奶，求求您，不要死……

我是这么地想念您，所以太奶奶，您不会死的。您会好好地活着的！

我爱您，深深地爱着您。

安娜贝尔

1999 年 4 月 8 日

亲爱的太奶奶:

听说您好多了,我太开心啦!医生说在您的身体里有某种强大的力量,支撑着您活下去。我知道那是什么样的力量!常有人说我像您,以前或许我会觉得不开心,但现在我乐于听到这样的话,因为这就意味着我也像您一样坚强。当然了,这种坚强只会在必要时才显示出来。太奶奶,今天我要告诉您的都是好消息。

第一个好消息:我和露西亚又重新成为朋友啦。不过怎么说呢?我们跟从前不一样了,我们不需要每时每刻都待在一起。有时候待在一块儿的话,就侃侃天,说说地,什么都可以聊。不待在一块儿的话，好像也不会特别悲伤。而有时候，我也会跟皮埃克和奥利维埃聊聊电影——下一封信里我会再跟您说说奥利维埃的，我现在在想他是不是爱上我了。下回再跟太奶奶好好说说这个问题。露西亚说我把现实和梦境搅混了，但我相信自己没有。

露西亚现在和卡蒂也是朋友。有时候我们三个人也会混在一起，这下可不会跟从前一样不自在了。卡蒂说的话总能逗人笑，跟她在一起，我们才明白什么叫"洋溢着快乐"。每次她开怀大笑的时候，我们也总是忍不住要跟着她笑。正因为这样，我们三个人都受到了老师的处罚。

不过无所谓啦，我们一点儿都不在乎。

重要的是开心！人的生命只有一次，太奶奶，您说对吧！

最后一个好消息：子普生了小猫崽啦！三只哦，很可爱呢。有一只几乎是全白的，复活节假期后，奥利维埃的妈妈就要把它抱去养了。还有一只长有虎斑纹,卡蒂央求她妈妈同意她养。不过依我看,卡蒂也养不了多久。第三只是黑色的,目前还没有人要。说实话,它很可爱的。爸爸和妈妈说人们太迷信,因为很多人都忌讳黑猫,他们认为黑猫会带来噩运⋯⋯

亲爱的太奶奶,就写到这里吧。我想郑重地跟您说,晚些日子见! 复活节就快到啦。

安娜贝尔,深深爱着您的曾孙女

复活节

亲爱的曾孙女：

你说得对，复活节就到了。我现在觉得自己好多了，又有了活力。

但是，很快地，那种生存的愿望又在我身上消失得无影无踪。

我感觉自己是飘着的，没有一根牢固的线能把我绑在这片土地上。这到底是活着，还是死了，没有人知道。

人们总跟自己说，死亡和生存是相对的，但我想告诉你，这是错的。

当自己离死亡很近的时候，只觉得身体很不舒服，是它不让我继续生存下去，它束缚了我，不给我自由。那时，我强烈地不想要这副躯体，但我并没有想要放弃生命！安娜贝尔，我没想放弃生命啊……

不说了，不说了！下次给你写信的时候再说这些吧。现在我说的话，我怕自己会因此死去。我不愿意破坏自己追求生命的信念！

宝贝，你可以去听听管风琴乐，它会告诉你死亡与生存并不是对立的。也可以这么说，死亡与生活并不是对立的。

我深深地爱着你，宝贝。如果我还能跟你一起过一些快乐的日子，我会很高兴的。当然了，我现在只能是独脚过日子了……

诗人布莱兹·桑德拉在一战中失去了一只手臂。好吧，又是一战这场可怕的战争！在他看来，那只失去的手臂成了天上的一个星座。所以，宝贝，要是哪天你在天上看到一个形状像脚的星座，你记得要告诉我。这样我的心灵能够得到安慰，因为我的脚也成了天上的一个星座……

今天的天空很漂亮,我们的地球也很漂亮!所以我们应该活得更好,对自己和人生更有信心!

深深地拥抱你,宝贝。晚点见!

太奶奶

PS:宝贝,你来的时候记得把小黑猫带来。虽然别人都说黑猫会带来霉运,但是我不怕,你知道,我已经什么都不怕了。

乔·贺斯兰特

单看名字的话，也许你想不到这是一位女作家。乔住在巴黎郊区的吕埃马迈松，有三个孩子，均已成年。她很喜欢讲历史故事。在她看来，历史就跟魔术一样神奇。

她在文坛活跃的时间也较长。其为吕埃马迈松和其他地方的儿童文学做出了许多贡献。

奥雷莉·阿波利维埃

　　1979 年出生于洛里昂，主修布雷斯特应用艺术、巴黎笔法以及斯特拉斯堡插画。

　　现居巴黎。专为儿童书籍绘制插图。

　　我跟安娜贝尔一样,也是迫不及待地等着收信。我尤其期盼婶婶给我寄的信。她总会顺便给我寄一些手工明信片、复杂的信封,甚至有时候她还会给我寄牡蛎壳,壳里面写有我的地址。(在此,要十分感谢邮递员！)